D1002359

李乾朗著

艋舺龍山寺

序言

台灣的傳統古建築在近代的劇變中愈來愈少，許多優美宏大的古建築因不當的都市計劃或其使用者無心保留，最後淪爲被拆除的命運。長此以往，缺乏古蹟的地方，將使得文化的見證功能減低，而對歷史的解釋力也趨於薄弱。近年有關方面在古蹟維護的實際行動中，開始累積了初步的成果。有鑑於此，我們爲鼓吹古蹟保護並配合進一步的知識性鑑賞，計劃以一系列的書籍，擇其重要且具代表性特色者分別引介給有興趣的讀者。書的內容將包括宅第、庭園、寺廟、城堡等類型。以圖文並茂、深入淺出的方式撰寫，希望能在古蹟與參觀者間建構一座橋樑，讓讀者在面對一座古建築時，能獲得更深刻的溝通。

艋舺龍山寺爲台北最著名的佛寺，它象徵著台北市的發展史，也是台灣移民開發史的一個縮影。龍山寺的建築藝術亦同樣豐富，它的前殿的石雕，用材精良，雕工精細，出自泉州惠安名匠多人之手。艋舺龍山寺自初建之後，歷經多次大修，至本世紀初年，由名匠王益順主持修葺，引進一些台灣較罕見的裝飾技巧，日後成爲其他寺廟仿效的對象。龍山寺的香火旺盛，早期是泉州、晉江、惠安、南安移民之守護神廟宇，至近代已成爲全台共同信仰之大寺廟了。參觀時與本書對照，當可增進更多之了解。

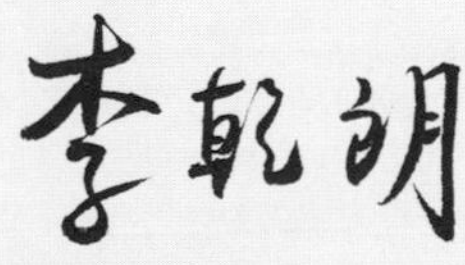

78年12月

The Lungshan Temple at Wanhua is the most famous Buddhist temple in Taiwan. It symbolises Taipei city's historical development and distills the history of Taiwan's early pioneering settlers. The temple's architecture is also replete with artistic richness. For example , the stone carvings in the Anterior Hall are superbly sculpted in excellent materials and are the handiwork of several celebrated stonemasons from Chuanchow and Huian. Since its initial establishment, the Lungshan Temple at Wanhua has undergone several large scale renovations. In the early years of this century repairs were carried out under the direction of the distinguished craftsman Wang I-shun, who introduced certain decorative techniques rarely seen in Taiwan before and which were later copied by other local temples. The Lungshan Temple has always been a thriving centre of popular worship. In the early period its deities were guardian spirits for immigrant communities from Chuanchow, Kinkiang, Huian and Nanan, but in more recent times it has become one of the great centres of folk religion for people from all over Taiwan. I hope that this guide book will help visitors to gain a better appreciation of both the temple's architectural beauties and its importance as a centre of pagan worship.

圖文作者 李乾朗
英譯者 牟安德
日譯者 久保惠子
發行人 李賢文
文字編輯 黃秀慧
美術設計 李男
攝影 李乾朗
出版者 雄獅圖書股份有限公司
地址 台北市106忠孝東路四段216巷33弄16號
電話 (02)2772-6311
傳真 (02)2777-1575
郵政劃撥 0101037-3
E-mail:lionart@ms12.hinet.net
製版 秋雨印刷股份有限公司
印刷 永光印刷股份有限公司
初版一刷 1989年12月
一版七刷 2002年4月

定價 200元
ISBN 957-9420-23-8
本書如有缺頁或裝訂錯誤
請寄回更換

目次

The Lung-Shan Temple at Wan Hua,Taipei
by Li Chien Lang

Publisher Lee Shien Wen
Published by Hsiung Shih Art Books Co.,Ltd
16, Alley 33, Lane 216, Taipei 106, Taiwan R.O.C.
Tel:(02)2772-6311
Fax:(02)2777-1575
Designed by Lee Nan
Photographed by Li Chien Lang
Translated by Andrew Morton & Keiko Kubo
Price:NT$200
Account no:0101037-3
First printing in December 1989
Sixth printing in December 1999

Contents

06

艋舺龍山寺前殿藻井剖面圖

A section of the frontyard's plafond in Lungshan Temple, Wanhua

安海龍山寺前之牌坊，
額鐫題「龍山古地」。

《1》艋舺龍山寺史略

Five temples bearing the name Lung-shan were built in Taiwan during the Ch'ing dynasty, namely those at Tainan, Wanhua, Fengshan, Lukang and Tamsui. These were built by the early Chinese settlers who came over to Taiwan from the Chinese mainland, and all are sister temples of the great Lung-shan Temple in Anhai district of Kinkiang county in the prefecture of Chuanchow, Fukien province.

The Lung-shan Temple at Wanhua, a western district of Taipei, is principally devoted to the worship of the Bodhisattva Avalokitesvara, known in Chinese as Kuan-yin. Legend has it that some early Chinese settlers who arrived in Taiwan in the Yung-cheng period (1723-1735) hung a pouch of lighted incense on a tree. During the night the incense glowed with

泉州安海鄉的龍山寺外觀。

台灣地區名爲「龍山寺」且創建於淸代的寺廟只有五座，即台南、艋舺、鳳山、鹿港和淡水的龍山寺。它們都是早期大陸移民渡海來台所建的，由於他們都是從福建安海鄉的龍山寺分靈割香到台灣建造的，故寺名相同。安海屬福建省泉州府晉江縣，是一處海港，其龍山寺建於隋朝，又名天竺寺，主祀觀世音菩薩。台灣的五座較古老的龍山寺大都位於港口。艋舺是台北市最早的聚落，移民又以來自泉州府所轄的晉江、惠安與南安等地者較多，所以龍山寺的香火一直很盛，其規模也很大，是台灣頗具代表性的古寺。

安海龍山寺所供奉千手千眼觀世音菩薩神像具有千年以上的歷史。

艋舺龍山寺是泉州安海龍山寺之分靈寺廟，主要奉祀觀世音菩薩（又簡稱爲觀音）。據傳，在雍正年間，有渡台移民將所佩

special brightness, indicating the presence of a deity, and so the proposal arose to build a temple on the site. Other similar versions of this legend are known from elsewhere in Taiwan too. Historically, the Bodhisattva Kuan-yin is a particular focus of veneration in Chinese Buddhism. Capable of adopting many different guises, the tendency in China has been to conceive of her as a woman, in keeping with her attributes of charity and merciful compassion. More Buddhist temples in Taiwan are dedicated to Kuan-yin than to the Tathagata Buddha himself. Most ordinary households maintain an altar dedicated to Kuan-yin in the main room of their home, which may perhaps give some

帶的香火袋掛在樹上，因曾在黑夜裏發光顯靈，遂有人倡議建寺，這種傳說在台灣其他地方亦有同例。在中國佛教史上，觀世音特別受到崇拜，其能化身爲許多種形像；不過，中國人喜將之想像成女身，與她原來惻隱慈悲的神性較爲貼切。台灣的佛寺以觀音寺爲最多，如來佛尚不及。一般人家正廳的供桌上也常供奉觀音，由此可見她的信徒之廣，受敬拜程度之深。據文獻所載，艋舺龍山寺初建於清乾隆三年五月十八日（西元 1738 年），至五年二月八日落成。建寺的費用是由晉江、惠安與南安等所謂三邑人所捐獻。後又有泉郊武榮的貿易商人出資增建後殿，供奉天后、五文昌及關帝。據推測，龍山寺在乾隆時期即已形成了前殿、正殿與後殿的三殿式格局。

嘉慶十九年（西元 1814 年）六月五日，這座建築毀於一場地震，三邑人於是倡議捐獻資金以重建，經過幾個月的籌款，同年十月十八日開工重建。這是艋舺龍山寺第二次的大修建，它的形式爲淸代中期台灣較大寺廟常採用的院落型三殿式格局。

維持了五十三年之後，同治六年（西元 1867 年）八月二十日又遭到颱風肆虐，山牆略有崩損，復於同年再度整修。這次整修之後又維持了五十二年，直到日據時期才改建。我們從幾幀改建之前所拍攝的照片，約略可瞭解嘉慶十九年大修建之後的龍山

idea of how widespread her
cult is here.

1
1

清末重修之後的
艋舺龍山寺，前殿爲單簷，
兩旁有過水門及護室。

清末艋舺龍山寺正面景觀，
當時前爲蓮花池。

寺面貌。台灣地區氣候炎熱潮濕，因而木造建築常遭腐蝕之害，再加上地震與颱風災害頻繁，一般說來，寺廟大約每隔六十年要重修一次，亦即一甲子爲重修周期。若引上述之言證諸艋舺龍山寺的紀錄，實頗爲相近。

依據本世紀初所攝的幾幀外觀照片，艋舺龍山寺第二次大修之後的格局屬於三殿式，各殿均使用廳堂造，面寬三開間，兩側各夾一列護室，而且前殿入口處圍以木柵，外觀與附近的清水祖師廟或淡水鄞山寺相似，都是清代中葉的典型寺廟。

艋舺龍山寺第三次大修建約莫在日據中期，自從甲午戰爭失敗，清廷將台灣割讓予日本之後

一九二〇年代大修完成之龍山寺外觀。

，台灣的寺廟面臨過去所未有的變化：先是受到鼓勵，至日據後期又受到壓抑。光緒二十一年（西元 1895 年），日軍進佔台灣，艋舺龍山寺的左右護室及後殿被充爲保良局之用，後來又成爲艋舺區長役場及總督府國語學校第一附屬學校分教場等公共用途。當時，許多寺廟也常被徵用爲臨時機關或學校。自從嘉慶時期大修建之後的艋舺龍山寺，至日據大止八年（西元 1919 年，即民國八年）時，棟樑皆遭蠹蝕之害，而且壁柱丹青剝落，情況十分危岌，地方有力人士遂又倡議修建。經過籌募款項之後，於西元 1920 年元月十八日正式動工，至四年後的三月十二日才落成，前後工期長達四年；但以龍山寺之規模及雕琢之精細而言，施工進度可說是很快的了。今天我們所看到的艋舺龍山寺，除了正殿之外，絕大部分爲此次所修建的結果。正殿在二次世界大戰末期不幸中了盟機所投下的燃燒彈，全都損毀，直到民國四十四年才重建復原。

Since its initial completion in 1738, during the Ch'ien-lung period of the Ch'ing dynasty, the Lung-shan Temple has been restored and partially rebuilt several times. It was first restored on a large scale in the Chia-ch'ing period（1796-1820）and then restored further on a minor scale in the T'ung-chih period（1862-1874）. Again in the Taisho period（1912-1925）, under the Japanese occupation of Taiwan, further large-scale alterations and rebuilding were carried out, and since Taiwan's retrocession to the Republic of China in 1945 the temple's main hall has been additionally restored.

Lung-shan Temple is not simply a classic example of a large temple; it has been at the forefront of the historical development of the city of Taipei itself.

總結艋舺龍山寺從清乾隆三年初創以後，經過了嘉慶年大修、同治年小修、日據大正年間的大改修，以及台灣光復後的重建正殿。當然其間還有數十次的小修理，例如屋脊的裝飾、樑架彩繪、鐘鼓樓換屋頂及後殿文昌祠因祝融之災而重建。參觀龍山寺時，如果很仔細地觀察，將會發覺這是座既宏偉又精美的寺廟，到處都仍保有歷次修建的遺留物。因此，艋舺龍山寺可說是一座由清代、日據時代與光復後三段時期綜合表現的寺廟藝術。龍山寺不僅是台灣頗具代表性的大寺廟，它在台北的發展史上也佔有一席地位。因爲龍山寺一直是艋舺地方之公廨與核心象徵，寺的管理董事亦爲士紳所組成，對外有很大的影響力。據說在清代凡是蓋上龍山寺大印的公文，皆具有舉足輕重的力量。

龍山寺鳥瞰，可見到各種形式的屋頂，組合成非常豐富的天際線。

近年的龍山寺外觀，屋瓦曾經重修。

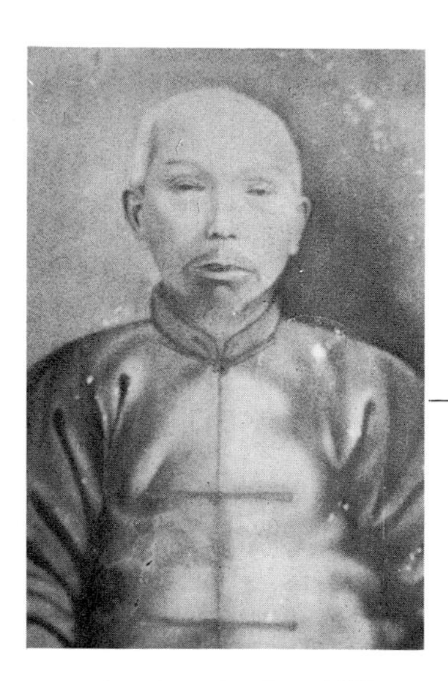

泉州惠安溪底名匠王益順受聘至台灣，修建艋舺龍山寺及其他數座大寺廟。

在此要詳加介紹大正八年（西元 1919 年）艋舺龍山寺較大規模的修建始末。這次修建動員了許多優秀的匠師，同時也出現一些較罕見的建築技巧，在台灣近百年來的寺廟發展變遷史上，具有重要的意義。

當龍山寺開始醞釀要做一次大修建時，寺裏的住持——福智和尚，慷慨地捐出了畢生化緣所得的七千多元。他平日粗衣惡食，非常節儉，這種拋磚引玉的行爲邀得了更多地方士紳的共襄盛舉。衆人公推當時頗有勢力的辜顯榮出任董事，艋舺富紳吳昌才任副董事。籌款有了著落，接著就要聘請精於設計的匠師。在此時，福建泉州有一位著名的建廟匠師王益順，他師承所謂的「惠安溪底派」。在厦門爲人建造大宅第時，巧遇經常往來於台厦經

落成大典時關係人物合照

《2》艋舺龍山寺在一九一九年大改修的經過

約一九二〇年代的
龍山寺外觀，
寺前蓮花池已 遭塡平。

商的辜顯榮氏。辜氏原爲鹿港人，日據之後活躍於台北商界。經過龍山寺董事們決議，於是敦聘王益順來台主持大修建的設計及建造之任務。

大牌樓為重簷式，
斗栱纖巧，色彩艷麗。

前殿中門兩旁以銅鑄欄杆圍住，
以保護精細的石雕。

王益順匠師抵台時間可能是在一九一九年秋，經過詳細規劃之後，他提出一套頗有創意的設計圖樣，於一九二〇年元月十八日正式動工。爲了這一座全台矚目的寺廟修建，王益順在泉州惠安組織了一個工匠團，所聘匠師皆可謂爲一時之選，爲本寺修建的大功臣。主要的總建築師稱爲「大木匠師」，即王益順本人；現場丈量各種細部尺寸者稱爲「持篙匠師」，爲其姪兒王樹發；雕花匠頭爲楊秀興，人們常以綽號「鷄母興」喚他；另有石匠師多位，如莊德發、蔣金輝、楊國喜、蔣細來、蔣連德、辛金錫、蔣玉坤、辛阿救、王雲玉等人；泥水匠有莊廷水及楊溪等人；陶匠（剪黏及交趾陶）有洪坤福及林平；油漆匠師有林德旺、黃榮貴、蔡萬沛、張阿九、江寶、吳烏棕與洪寶眞等人。以上這些匠師也有來自廣東的，因此陣容可說是非常堅強。王益順被認爲是福建首席名匠；王樹發也頗富天賦，當一九三〇年王益順回泉州

前殿後步柱爲石雕龍柱，圓柱盤龍，
軀體轉折有致，氣勢雄健。

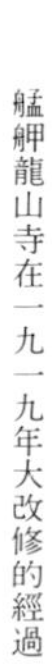

蟠龍石柱雕出縮喉突胸之造型，似有血肉，實屬登峯造極之作，此爲惠安蔣姓石匠之傑作。

後，他仍留下來修建鹿港的天后宮；楊秀興則被公認爲當年雕花界的佼佼者，他的構圖嚴密、手法細緻；石雕工作較爲費時，故石匠人數亦較多，其中幾位蔣姓匠師同屬一家族，爲來自惠安峯前村之好手。龍山寺前殿後面的一對龍柱即是蔣氏兄弟所雕。據說當時他們尚年輕，爲博取聲名而全力以赴，有些人後來即留在台灣，繼續參予鹿港天后宮、彰化南瑤宮與南鯤鯓代天府等寺廟之修建工作。

龍首昂揚，鋒芒畢露，
鱗片歷歷可數，
其前爪抓珠氣勢過人。

龍山寺前殿之前的銅鑄龍柱亦顯得匠心獨具，其作法至今在台灣仍屬獨一無二。柱上的人物裝飾皆由洪坤福所製，他的作品特色就是將人物手腳塑得較為細長，有點像敦煌壁畫的飛天。原來屋頂上許多交趾陶亦為洪氏作品，但近年修理時已損毀。有關洪坤福的軼聞甚多，他的作品多在台北一帶，與當時名貫台灣南部的汕頭名匠何金龍同享盛名。由於洪氏授徒多人，今天仍活躍於台北及宜蘭的剪黏或交趾陶匠，多為其門人。

龍首上揚，縮喉突胸，
張牙舞爪，神態至為生動，
柱下海浪之中亦鑄有水族。

前殿的一對銅鑄龍柱爲台灣僅見，
出自名匠洪坤福及李祿星。

銅鑄龍柱上附有「人物帶騎」，
個個栩栩如生。

龍柱上除了神仙及坐騎外，
亦鑄有小龍，造型玲瓏，
值得令人細看。

龍柱上之人物姿態生動，
造型精美絕倫，係出自名匠洪坤福之巧藝。

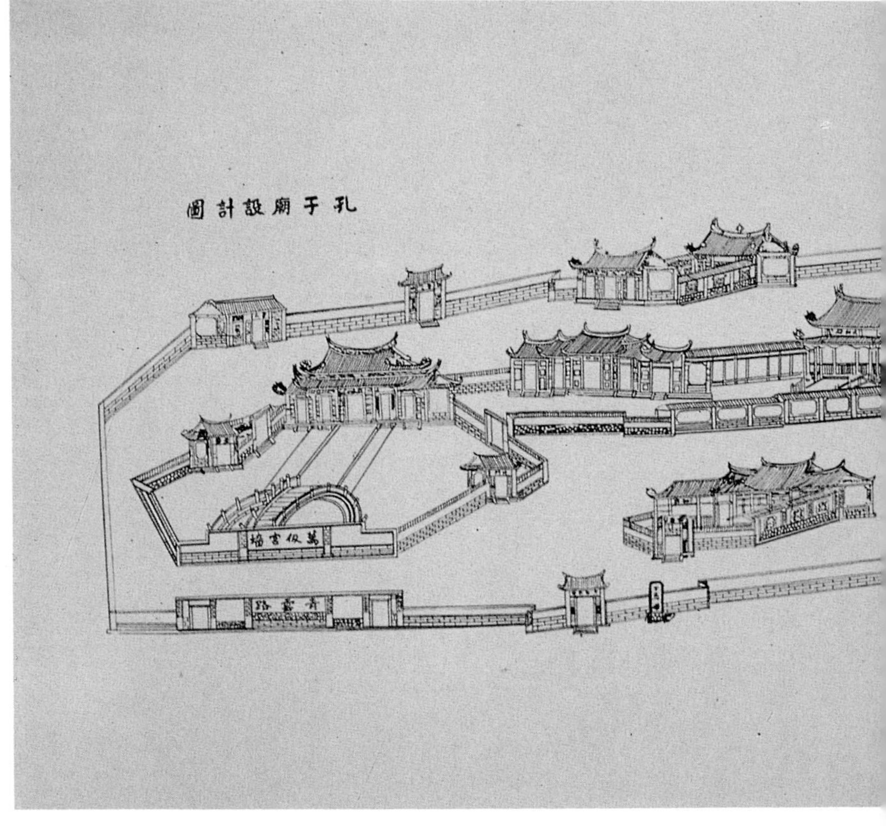

大木匠師王益順所繪的台北孔子廟設計圖，王氏修建艋舺龍山寺之後，曾建造台北大龍峒孔廟。

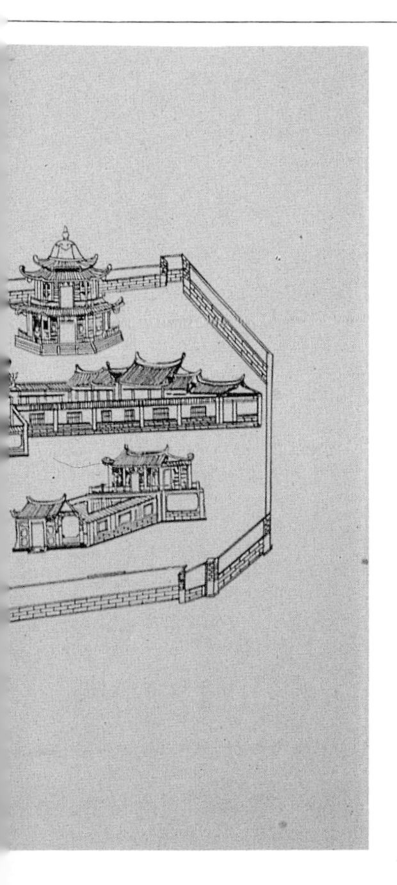

龍山寺大修建期間，吸引了不少台灣各地的匠師前來觀摩，彼此互相切磋技藝。王益順接著又修建了台北孔子廟，一九三〇年元月，一群日本建築家至大龍峒參觀孔廟，並訪問王益順。當時王氏年已七十，日人見到滿頭白髮的他，稱譽其為「中國的建築家」，認為中國建築家老當益壯，愈老愈見真功夫，驚為不可思議。不久，王氏回廈門修建南普陀寺及大悲殿，第二年即因積勞成疾過世。王氏是中國傳統建築匠師的典範，依循古法但卻不拘泥於古制。他的養子王世南繼承其衣鉢。日據後期，龍山寺正殿因被炸毀而需重建時，即由他提供設計圖。今天，我們在欣賞龍山寺之餘，也必需對當年為這座藝術殿堂付出心血的老匠師們有所瞭解，因為他們的功績將永遠被人們傳誦不輟。

As a centre of worship of the Bodhisattva Kuan-yin, Lung-shan Temple occupies a prominent place in the local hierarchy of Buddhist temples. Thus, according to long-standing Chinese tradition, it is entitled to stand aligned on a north-south axis with its entranceway facing due south.

According to the old records, at the time of the temple's construction in 1738 the site was surveyed by a geomantic expert named Chang Ch'a-yuan. It was he who determined the temple's alignment and position according to the principles of Chinese geomancy, or "feng-shui", whereby the site was held to be the "abode of a female beauty". Consequently he ensured that a large pond was built in front of the temple, conveying the implication that the "female beauty" should be able to "gaze into the mirror"

龍山寺供奉觀世音菩薩，屬於等級很高的佛寺，按照中國古代的傳統，可以坐正北朝正南。寺的方位爲勘輿家所謂「坐子向午」，以丙子丙午定分金線（即中軸線），大約偏東南二度，以示謙虛。據文獻記載，乾隆三年初建時，由勘輿師張察元相驗地理，決定方位，並認爲屬風水理論的美人穴。故於寺前特別開鑿大池，取「美人照鏡」之意。可惜，今天人們已經看不到蓮花池了，因爲原址在一九二三年被日據政府派人填平，改爲公園，現在該處有許多小店齊集。

龍山寺之門額高懸於前殿門楣之上。

of its waters. Unfortunately it is now no longer possible to see this lotus pond, since in 1923 the site of the pond was filled in by the municipal authorities to create a park, and today the area is crowded with small shops.

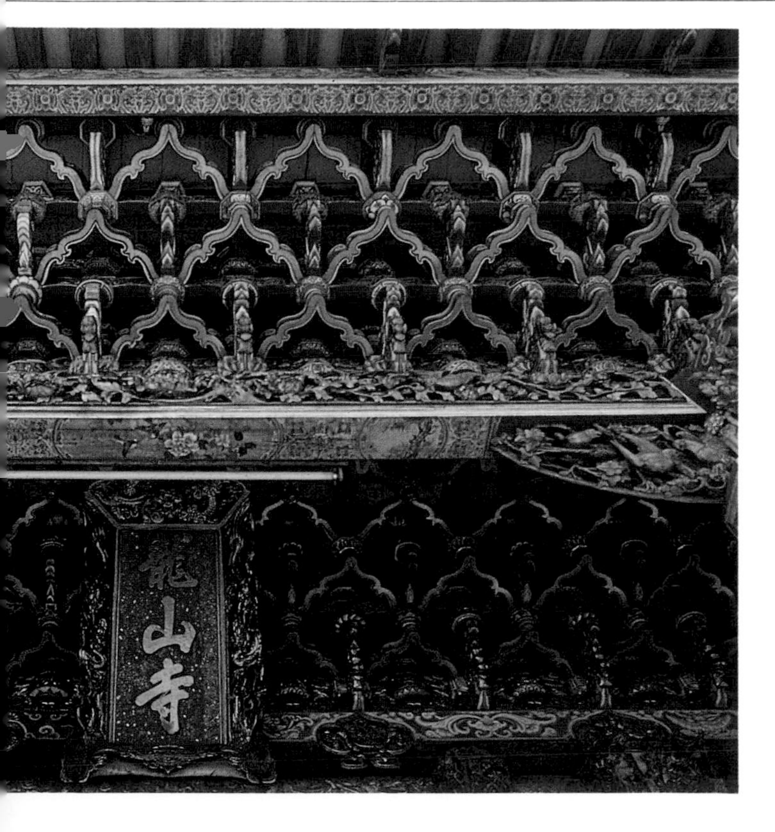

《3》龍山寺的格局

寺的前面與右側臨街，沿街面處有一座近年才建的大牌樓。在清朝，這一帶屬於艋舺的郊區，商店不多，環境清靜，相當適合佛寺所在。龍山寺共有三殿，前殿的總面寬達十一開間，非常壯濶。中央五間是主要的出入口，兩側各有三間是次要入口。正殿面寬五開間，獨立在全寺的中央，由於台基較高，使得它看來有如鶴立鷄羣。中庭左右護室屋頂上聳立著玲瓏的鐘鼓樓，定時傳出鐘鼓聲，使人益覺置身於佛境之內。後殿面寬亦達十一開間，與左右護室共同圍成「□」形平面，如衆星拱月似地將大殿圍在中央，從空中往下看，整個平面呈「回」字形的佈局，氣象方正而嚴肅。

前殿中門，平常圍以柵欄，
祭典時才打開供人出入。

Let us first look at the front hall. The main entranceway leads into a front courtyard, which is paved with thin granite slabs. These are said to have once served as ballast for ships. The large wooden sailing ships or sea-going junks which plied between Taiwan and the Chinese mainland in centuries past used to be weighted down with stone ballast to prevent them swaying too violently in rough seas when empty of their cargo. Once these ships arrived in Taiwan the stone ballast was removed and their holds were filled with cargoes of rice for the return journey. Hence the ballast slabs were eventually used by the local people in Taiwan as useful building material.

我們先來參觀前殿，從大牌樓走進前埕，滿地盡是由花岡石條舖成的，據說這些石條是壓艙石。淸代來往於台灣海峽兩岸的船隻，多爲木造大帆船，爲免船身易因浪大而搖晃，故常在船艙底下裝滿石條；回程時則以台灣的米糧取而代之，後來石條遂被本地人民作爲建材。

龍山寺的前殿共闢五個門，中央五開間稱爲「三川門」，門前有一對銅鑄的龍柱。屋頂採用重簷式，五間升起三間，中間較高，兩側較低，有如牌樓。屋簷之下設置一種格子狀的交叉斗栱，稱爲「網目」，這種作法在當年首次出現於台灣，極具爭奇競妍的裝飾意味。兩側的出入口稱爲「五門」，「五門」亦各有屋頂，有如一間小廟，它的圓拱石門及屋頂的小山牆均採用西洋建築的造型。很顯然地，這是由於厦門開放爲通商港口之後，外來的建築樣式易於被中國的匠師所吸收，並與中國建築融合在一起。從外觀上看，「三川門」顯得舒適飄逸，「五門」則富有緊湊

《4》前殿

玲瓏之趣，形成明顯的對比，使龍山寺入口外觀予人一種華麗且多變化的印象。

前殿屋簷下佈滿了網目斗栱，並且垂下蓮花及花籃吊筒，木匠在此發揮精雕細琢之巧藝。

前殿邊門「五門」亦採凹壽式，屋頂則升庵，有如牌樓。

前殿的外牆上，大部份都嵌上石雕，所用的石材大約有三種，包括泉州白石、青斗石及觀音山石。前兩者均係大陸所產的優良石材，尤以青斗石爲貴，這種略帶青草色的石頭產於福建內陸的玉昌湖，因其質地堅硬，最適於做精細雕刻之用。龍山寺前殿的許多人物及花鳥石堵亦皆爲青斗石所雕成。泉州白石與青斗石交互使用，青白相間，更襯托出石雕牆垛的明暗虛實與高雅細緻的紋理。雕刻的技巧也分作數種，石匠在此展現了他們精湛的手藝，例如門楣石使用「剔地起突」法，將主題雕成突起狀，又稱爲「浮雕」；石窗子使用透雕；牆上腰板則使用「壓地隱起」與「減地平鈒」法，將背景雕深，

五門入口台階使用「卷書階」，石階兩旁呈螺旋形，有如打開之卷書。

前殿牆角柱下的「櫃台脚」爲
青斗石所雕，造型典雅。

前殿中門左右之抱鼓石鐫刻文官持旗球，諧音「祈求」。

前殿中門抱鼓石刻有文官持戟磬，諧音「吉慶」。

龍山寺前殿水車堵上之精雕人物，
表情生動，形似血肉之軀，
不愧爲出自惠安名匠之傑作。

抱鼓石爲鞏固門框之構件，
亦兼有裝飾之作用，
龍山寺中門之抱鼓石爲青斗石
所雕，構圖採天翻地覆，
俯仰有致，工犀利，
亦屬台灣石雕之佳作。

五門轉角柱下的泉州白石雕
「櫃台脚」，以鯉魚爲
題材，象徵鯉躍龍門。

前殿牆垛之石雕，
三國演義題材，係「剔地起突」
法所雕成，人物個個栩栩如生。

使主題的圖案浮現出來；另外，龍山寺又出現一種中國建築中少見的陰刻法，將主題雕深，並具有深淺、層次，我們姑且稱之爲「陰刻法」。在龍山寺的前殿，至少可以看到以上幾種不同技巧、不同趣味的石雕，中國優美的石雕藝術在此展露無遺。同時，我們也要注意牆上鐫刻的詩句聯對。例如康有爲的書法：「龍舸渡迷津發大慈雲，只要衆生回首；山門開覺路入歡喜地，更進十住安心」。許多篆隸及草書之聯對 也美不勝收，令人目不暇給。

前殿石窗之香爐圖案，內有「繡襦記」
中李亞仙故事之題材，
人物刻劃細膩，神態逼眞。

前殿腰垛之石雕，香爐博古題材，
「內枝外葉」雕法，雕工極爲精細。

Stepping inside the front hall over the raised doorsill, you will see directly overhead a beautiful octagonal cupola let into the ceiling. It looks somewhat like an open umbrella that has floated up into the beams of the roof.

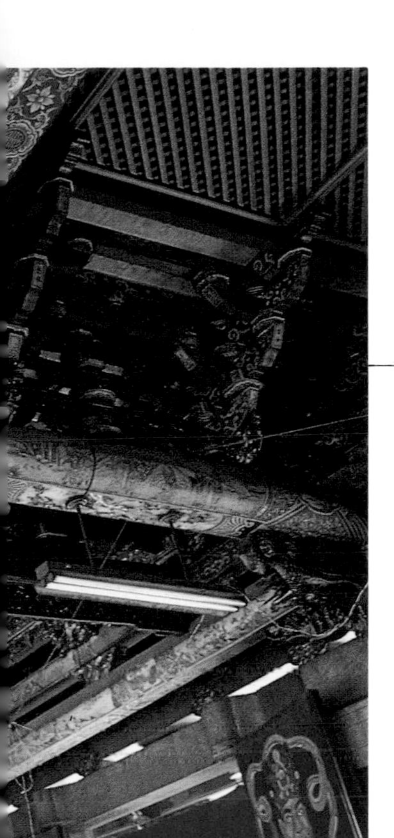

前殿屋頂下的棟架，包括結網藻井，斜槅天花及捲棚彎桷三種形式。

青斗石水磨沈花所雕之花鳥堵。

跨入三川殿的門檻，舉頭可見屋頂下有一座八角形的藻井，頗似張開的傘蓋懸在屋樑上；實際上，它是由三十二支斗栱集向中心所構成，其間還穿插斜向的交叉栱，並且分成內外兩圈，有如一頂帽子。藻井又稱爲「蜘蛛結網」，只使用於中國的尊貴建築。龍山寺前殿的八角藻井直徑爲三公尺八十四公分，結構奇巧有力。兩旁的屋頂雖不施藻井，置斜格子平頂天花板，並以雙向的計心斗栱托住，至爲簡潔。

前殿石窗「李白醉寫番表」題材，巧匠雕出李白書寫番表，高力士托足，楊國忠捧硯磨墨的故事。

Just behind the front hall stands a pair of enormously tall pillars decorated with swirling dragons. The Hellenistic finials to be observed at the top of these pillars are signs of east-west cultural exchange from the late nineteenth century. One feature of the Lung-shan Temple is the way its architectural ornamentation reflects the changing pattern of Taiwan's cultural history.

另外，前殿值得我們注意的是，左右「五門」的木樑架細部並不相同。想像中，中國建築是採對稱佈局，左右應該完全一致。事實上，由於建造時，常分成兩組工匠分別施工，使得尺寸一樣，而雕刻卻略有所別，這也是另一種趣味的欣賞角度。前殿後面的一對石雕蟠龍柱非常高大，柱頭上且使用希臘式的柱頭造型，這也是清末中西文化交流之後的產物。龍山寺的許多裝飾反映了歷史，也是它的特色之一。

前殿屋簷下佈滿了網目斗栱，
並垂下蓮花及花籃吊筒，
木匠在此發揮精雕細琢之巧藝

前殿後步口龍柱之上於一九一九年
大修時增加西洋式的柱頭，
爲文化交流作了見證。

大殿主供觀世音菩薩，爲龍山寺中最高的殿宇。屋頂爲重簷歇山式，簷牙高琢，雕樑畫棟，宏偉異常。

一九二〇年代剛大修完竣的正殿雄姿，屋簷下四面走馬廊。

一九二〇年代的大殿右側景觀，圖中之龍柱於二次大戰中被炸毀。

Now we pass through the front hall and into the central courtyard. Here the majestically tall and evocative edifice of the main hall greets the visitor's gaze. The main hall occupies a central position in the temple precinct, being surrounded by the adjoining ante-rooms and a covered promenade, with the front and rear halls situated before and behind.

《5》龍山寺的正殿

經過前殿，走入中庭，一座巍峨穩重、器宇軒昂且氣勢逼人的大殿映入參觀者的眼簾。大殿位居全寺之中，四周被護室廻廊及前後殿包圍著。大殿又稱爲「大雄寶殿」，它的面寬五間，進深達六間，平面略近正方形，座落在一高台之上。台基全爲石頭雕造，四周爲石雕欄杆，欄杆有如花瓶形狀，這亦是受西洋建築的影響。台基前面凸出一塊平台，稱爲「丹墀」，上面放置一座巨大的香爐，善男信女在禮拜觀音之後，很虔誠地把香挿在香爐裏。

一九五五年重建的大殿，殿身石垛及柱列欄杆皆施精雕，別具匠心。

大殿的外圍排列了一圈巨大的石柱，每柱之間的距離都是以視覺美感調整出來的；從正面望去，其間隔以中央較寬，依次向兩旁縮小，主從有序，極富韻律感。由幾幀二次大戰前留下來的照片顯示，大殿前面六根石柱皆雕龍，非常壯觀，其中央一對即爲龍柱名匠辛阿救之作品，可惜皆毀於戰火。現在的石龍柱亦出自名家張木成之手，一根柱子上面同時雕雙龍，上下各團一隻，美其名爲「天翻地覆」。在張牙舞爪的龍身之間，又有許多人物戰騎點綴其間，熱鬧非凡。

大殿月台前方的御路，
鐫雕雲龍，造型深富陽剛之美。

從大殿前月台望前殿之景觀，
月台爲石砌大平台，放置大香爐。

大殿龍柱之柱頭雕成白菜葉，此為近代風格。吊筒則雕成花藍狀，形式精雅而細緻。

大殿內部神龕供奉著一尊觀世音菩薩金身塑像，兩側配祀釋迦如來、韋馱尊天與護法尊天。佛像係福州名匠潘德氏所雕，觀音容顏莊嚴而圓融，的確是很好的藝術傑作。大殿內的左右龕奉祀文殊及普賢菩薩，東西牆供奉十八羅漢、土地神、山神及四海龍王。所有神龕、供桌與祭具皆施精鏤細雕、處處按金，色彩瑰麗、美不勝收。談到神像，在日據時期，廟裏曾供一尊如來立姿雕像，係出自台灣傑出的雕塑家黃土水之手，惜於戰爭末期大殿遭毀而受波及，現已不存；令人驚訝的倒是中央本尊觀音塑像仍安然地屹立在蓮花寶座上，傳為奇蹟。

大殿屋簷翼角起翹有如大鵬之翼，簷下有垂蓮吊筒及雀替。

艋舺龍山寺

大殿之山牆頂部山尖，
以瓷片剪黏作出雲紋，
螭虎及磬牌圖案。

大殿重簷歇山式屋頂，上簷角脊
以剪黏作出鳳凰，下簷則爲龍，
色彩鮮麗，上下輝映，美不勝收。

正殿不設門扇，稱為「敞堂式」，直接面對中庭，使人可由寺外仰望觀音坐像，且不致有陰森的感覺。現在為了要區別內外，廟方將其圍以銅製欄干。殿內的柱子非常高大，分為內外兩槽，外槽與壁體結合，內槽中央四根有如金剛力士，負起大部份的屋頂重量，被稱為「四點金柱」。在四點金柱之間裝置一座圓形的螺旋式藻井，直徑達五公尺八十二公分。每一層斗栱都呈彎曲

大殿上簷角脊的剪黏飛鳳，造型栩栩如生，設色艷麗，雍容華貴。中國古時認為祥鳥降世，則國泰民安。

龍山寺的正殿

The main hall incorporates 42 internal and external pillars. This may be compared to the 72 pillars of the T'ai-ho Hall in the Forbidden City at Peking, or the 100 pillars of the Ta-hsiung-pao Hall in the K'ai-yuan Temple at Chuanchow, Fukien province. As such this is without doubt one of the largest temple structures in Taiwan.

戰後重建的大殿內部螺旋形結網，旋轉方向爲順時針。結網亦稱爲藻井，斗栱齊集中央，精雅細緻，頗具韻律之美。

狀，最初王益順將它作成順時針方向散開，戰後重建時則改爲逆時針方向。它的構造原理是在樑架上先置八個龍頭座，框成八角形後出栱，向中心廻旋疊起。整個大殿內外共使用四十二根柱子（北京故宮太和殿使用七十二根柱子， 泉州開元寺大雄寶殿使用一百根柱子），在台灣可列爲最大的殿堂之一。

龍山寺正殿的屋頂爲歇山重簷式，屋脊皆飾以五彩繽紛的剪黏及交趾陶。正脊中央置寶塔，兩端置水龍。翼角的屋脊則以飛鳳及螭龍裝飾。屋簷的曲線和緩

戰前大殿內原結網之斗栱較疏鬆，而且螺旋爲逆時針方向，結構有力，形式華麗，爲不可多得之佳作。

流暢，使得整座正殿的氣勢更顯得雄健大方。屋簷下面分佈著斗栱，這是中國建築力學上最重要，也最奇妙的構造。龍山寺正殿上簷之下的斗栱分佈得很均勻，

杜頭上具有斜栱。大殿內部在柱子之上皆以樑枋相交，形成樑架。架上安置許多斗栱，一方面支撐天花板；另一方面也有裝飾的作用。殿內原有光緒皇帝勅賜的

「慈暉遠蔭」匾、王得祿提督的「大發慈悲」匾，以及孫開華提督「慈雲普蔭」匾，皆因中彈失火而不存，至爲可惜。

戰前大殿內中龕及供桌一景。

自前殿望大殿之景觀，
前殿兩根龍柱恰巧構成框景效果，
更襯托出大殿莊嚴的外觀。

鐘樓爲三重簷式六角形屋頂，
翼角起翹昂揚，造型爭奇競妍，
並且豐富了天際線。

To left and right of the main hall, we see the bell tower and the drum tower with their openwork structure, projecting high above the roofline. In the more spacious temples of centuries past, the bell and drum towers were independent, free-standing buildings. However, in the case of a temple squeezed into a crowded urban site, as here, the only answer is to place these towers on top of the ante-rooms to each side of the main hall. When the outsize bell and drum are struck together they resound harmoniously across the rooftops, announcing to the city the arrival of dawn.

《6》鐘鼓樓

1930年代的右側護室及鼓樓。

其次，我們在正殿前方兩側看到左右高聳著的鐘鼓樓，造型玲瓏剔透。在古代較寬廣的寺廟中，鐘鼓樓都另建成獨立的樓閣；然而位於市區的寺廟只好將鐘鼓樓建在護室之上。鐘鼓齊鳴響徹雲霄，而晨鐘暮鼓也可做爲城市的報時。

自大殿月台望前殿
及鐘樓，中庭格局開展，氣象萬千，

**鐘鼓樓在戰後曾經小修，
將上下簷之間的距離增大。**

龍山寺鐘鼓樓爲六角形的樓閣，屋頂爲三重簷，最特別的是它使用一種轎子頂式的屋頂，屋脊呈「S」形，翼角昂揚，雄赳十足。戰後，名匠廖石城曾加以修理，將上簷略加提高。鐘樓的楹聯爲「大小叩隨鳴禪機頓發，清疎聞入妙俗慮旋忘」，鼓樓的楹聯爲「念佛本慈悲爲何作氣，願人同覺悟聊託宣威」。

鐘鼓樓爲三重簷，上簷呈轎頂式，
覆於中簷之上，曲線流暢，造型秀麗。

戰前的鐘樓照片，上下簷之
距離較近，且屋脊裝飾較簡潔。

鐘鼓樓屋簷之間水車堵飾以
剪黏藝術，翼角分別為浪花、
鳳凰及水龍，各異其趣。

後殿主要供奉天上聖母媽祖，
並配祀水仙尊王、註生娘娘、
文昌帝君及關帝等神祇。

後殿之屋頂爲歇山重簷式，
山牆使用鵝頭與燕尾並立之形式。

Now we come to the rear hall, where the main deities worshipped are the Sacred Celestial Mother, the Lord of Supreme Yang and the Lady of Supreme Yin. In the chamber to the left, reverence is paid to the figures of the Narcissus Prince and the City God. In the chamber to the right, a collection of idols are worshipped which ensure women a safe passage through the pains and perils of childbirth.

殿內主祀天上聖母、太陽公與太陰娘。左室供奉水仙王及城隍爺；右室供奉註生娘娘、池頭夫人(安產神)、朱夫人(保安神)及大肚夫人。這些都是保佑婦人生產的神祇，頗爲特別而重要。至於水仙王，原在附近有專爲祭祀的廟，因日據時期拓路拆廟，再轉移至龍山寺供奉。

後殿的左翼殿供文昌帝君、大魁星君及紫陽夫子；右翼供關聖帝君、三官大帝及地藏菩薩，表現出「左文右武」的理想。近年左翼殿曾因失火而再予重建，但其形制仍如舊。後殿及左右護室廻廊的柱子仍多爲清代原物，雕刻風格與前殿迥然不同。

至於後殿，它的面寬亦達十一開間，中央的五間屋頂使用重簷歇山，但上下簷之間卻裝置琉璃窗，算是一種較簡潔的作法。

後殿前拜亭下燭台林立，香煙裊繞。

The wealth of architectural and sculptural beauty displayed by the Lung-shan Temple makes it one of the finest examples of decorative building in Taiwan. While fundamentally embodying the old architectural style of southern China, it also features evidence of more modern cultural influence from overseas. On any visit to this temple, the following features are especially worth bearing in mind:

1）The wide range of masonry sculpture and the sophistication of the carving techniques used really make the Lung-shan Temple a priceless repository of temple sculpture.

2）The cast bronze dragon pillars in the front hall are the work of a true master craftsman.

3）Both the decorative cupolas set into the ceilings of the front and main halls

正殿迴廊兩側的八角形軟團「螭虎」窗，
角隅有四隻蝙蝠，諧音象徵「賜福」。

「螭虎團爐」石雕，採「壓地穩起華」雕花，即淺浮雕。
以四隻螭虎（夔龍）團繞中央的香爐而成。

are strikingly imaginative creations.

《8》龍山寺之欣賞重點

龍山寺的建築及雕刻藝術非常豐富，爲台灣建築裝飾登峯造極之作，它承繼了中國南方古老的風格，又兼具近代的外來影響特色。當我們參觀龍山寺時，應特別留意以下幾方面：

(一)石雕技巧變化甚多，手法細緻，可謂爲雕刻藝術寶庫。

(二)前殿的銅鑄龍柱，悉出自名匠之手。

(三)前殿及正殿的藻井，構造奇巧，有如華蓋。

五門牆堵上之水磨點花石雕。

五門腰堵之石雕，使用水磨沈花雕法，以陰刻線條勾勒出流暢的輪廓。

畫棟

4) The roofs of the bell and drum towers are built like the top of a palanquin, using highly intricate openwork.

5) Graceful calligraphic inscriptions and verses are to be found everywhere on the front hall, the main hall, the covered promenade and the stone wall of the temple precinct.

6) Each of the celestial figures worshipped in the rear hall displays its own distinct pose and facial expression.

7) The main figure in the central hall, that of the Bodhisattva Kuan-yin, is fashioned with a rounded fulness and gentleness of demeanour that perfectly convey the ideal of merciful compassion.

(四)鐘鼓樓屋頂採用轎頂式，造型玲瓏。

(五)前殿正面及正殿廻廊石牆堘的書法及詩句，琳瑯滿目，爭奇競妍。

(六)後殿所供的各尊神像，姿態、神情各不相同，極富雕塑之美。

(七)正殿主尊觀世音木雕像，造型圓潤，面部表情柔美，表現了慈悲為懷之氣質。

前殿步口柱出栱及吊筒，豎材出現長翅飛天。

五門牆堘上之「鷸蚌相爭，漁翁得利」石雕，採「水磨沈花」技巧雕成。

前殿屋簷下之垂蓮吊筒，雕工精湛，吊筒之上豎材雕以觀音題材。

Every year at the Lantern Festival, fifteen days after Chinese New Year, Lung-shan Temple is festooned with rows of colourful lanterns. Crowds of eager sightseers flock to the temple to enjoy the spectacle and to guess the curious riddles written on the lanterns on display.

Naturally the Lung-shan Temple's most solemn festival of the year is the birthday of the Bodhisattva Kuan-yin, which falls on the 19th day of the 2nd lunar month. In the old days offerings of noodles (symbolising long life), fresh fruit and vegetarian pastries were set out in the Bodhisattva's honour, and a stage would be set up to provide an operatic performance for the enjoyment of the deity and her worshippers alike.

龍山寺一年中最主要的慶典是爲農曆二月十九日的觀世音菩薩降誕，六月十九日成首及九月十九日的入滅，屆時均會舉行盛大祭典。另外，四月八日的釋迦降誕，有灌佛會。文殊菩薩四月四日，普賢菩薩二月二十一日，後殿的天上聖母爲三月二十三日，水仙王十月十日，註生娘娘三月二十日，文昌帝君二月三日，而關聖帝君爲六月二十四日。每逢元宵節，龍山寺依例皆展各式奇巧花燈，吸引了如織的遊人，異常熱鬧。在日據初年，因台北孔廟被毀，也曾有數次在龍山寺舉行祭孔大典。當然，祭典最盛的是二月十九日觀音佛祖誕辰，古時多用壽麵、生果與齋素的糕餅爲祭拜品。彼時龍山寺搭台結綵演戲。此外，七月十三日普渡，龍山寺亦舉行祭典。

龍山寺前廣場，大牌樓爲近年所建，形式巍峩壯觀。

《9》龍山寺的慶典

艋舺
龍山寺

台湾地区には「龍山寺」と名付けられ、清代の創建にかかる寺が五つある。台南・艋舺(萬華)・鳳山・鹿港・淡水の龍山寺がそれである。これは、早期の大陸からの移民が海を渡り、台湾にやってきて建てたもので、福建省安海郷の龍山寺から分かれているので、同じ名前が付けられた。

艋舺龍山寺は、泉州安海の龍山寺から分かれたもので、観世音菩薩（観音とも言う）を祀っている。言伝えによると、雍正年間（一七二三～一七三五年）に台湾に渡ってきた移民が、持ってきたお香の袋を木に掛けたところ、夜でも光を発して霊験あらたかと言うので、ここに寺を建てることになったのだそうである。こういった伝説は、台湾のその他の地方にもしばしば見られる。中国仏教史上、観世音菩薩はとくに崇拝されており、その化身も様々な姿を取って現われる。だが、中国人は慈悲深いとされるその神性に似つかわしく、女性の姿の観音を好む。台湾の仏教寺院でも観音を祀る寺が一番多く、如来を数で凌いでいる。一般家庭でも、家の一番いい場所に観音を祀っていることが多く、その信徒の多さと崇拝のほどが伺えるだろう。

龍山寺の歴史をまとめると、乾隆三年（一七三八年）の創建に始まり、嘉慶年間（一七九六～一八二〇年）の大修理、同治年間（一八六二～一八七四年）の修理を経て、戦前大正時代にも大修理が行なわれ、戦後に正殿が再建されてる。これ以外にも、数十回に及ぶ修理が行なわれている。例えば、屋根の装飾・梁の彩色画・鐘鼓楼の屋根の取り替え及び後殿の文昌祠の火災後の再建など、枚挙に暇がないほどである。龍山寺参観の折に子細に観察してみると、この雄大で精緻な美を尽くした寺院にも、何回にも及ぶ修理の跡がそこここに見て取れるであろう。艋舺龍山寺は、清代の創建、戦前・戦後の三つの時期をそれぞれ総合的に表現した、寺院芸術の粋を尽くしていると言える。龍山寺は、台湾の代表的な大寺院であるばかりではなく、台北の発展の歴史にも確かな地位を占めているのである。

龍山寺は観世音菩薩を祀っており、大変格式の高い仏教寺院で、中国古来の伝統に従い、皇帝の宮殿のごとく北の位置に座り真南に向かうことのできる寺である。寺の方位は地相を占う勘輿家の言う「子の方向に座り、午の方向に向かう」向きに建てられ、丙子丙午の線（北から南）を金線（中軸となる線）とし、東南にわずか二度ほど傾けて、謙遜の意を示している。文献の記録によると、乾隆三年の創建のときには、勘輿家張察元が地勢を見て方向を決定したが、この地相の理論から言うと美人穴の方位であると考えた。そこで、寺の前にとくに大池を掘らせ、美人の水鏡としたのだそうである。残念なことに、今日ではこの蓮池は見られない。一九二三年に当時の日本総督府が埋め立てて公園にしてしまい、現在では多くの夜店が立ち並んでいるばかりである。

まず、前殿から参観を開始しよう。大牌楼（正門に当る）から入ると、地面は花岡岩が敷き詰められているが、これは船倉の重石であった石だと言われている。清代に台湾海峡の両岸を行き来していた多くの船舶は、木造の帆船であったために波に揺られやすかった。これを防ぐために、船倉の下に石を詰めて台湾に渡り、台湾で石を卸して米を積んだのである。こうして、重石の石は台湾で建材として使われるようになった。

三川殿の敷居を跨ぎ見上げると、天井に八角形の藻井（そうせい）が見られ、いかにも大きく開いた傘が屋根から下がっているようである。前殿の後ろにある石彫の蟠龍の柱は非常に雄大で、柱頭はギリシャ式の様式が使用されている。これも、清代末期の中国と西洋文化の交流の産物である。龍山寺の装飾の意匠には、多くの歴史の跡が見られ、その特色の一つとなっている。

前殿を通って中庭に出ると、巍峨たる壮大な大殿が人を圧する勢いで迫ってくるのが目に入るだろう。大殿は、全寺の中央に位置し、周囲を回廊に囲まれ前殿・後殿に守られている。大殿内には四二本の柱が用いられ（北京故宮の太和殿で七二本、泉州開元寺大雄宝殿で百本）、台湾では最大の殿宇の一つである。

次いで、正殿の前方両側に、左右に高くそびえる鐘鼓楼が望まれる。軽やかに美しい造形が特色だが、古代の寺域のゆったりした寺院では、独立した建物であった鐘鼓楼も、市内に建てられた龍山寺ではやむなく別の楼の上に乗っかっている。鐘と太鼓とが一斉に鳴り響き、朝夕の時を町に告げている。

後殿は、天上聖母、太陽公（太陽の男神）と太陰娘（月の女神）とを祀っている。左室は、水仙王と城隍爺（都市の神）、右室は註生娘娘（出生の神）、池頭夫人（安産の神）、朱夫人（安全の神）それに大肚夫人（妊娠の神）が祀られ、すべて婦人の出産の守護神で、一般にとくに重んじられている。

龍山寺の建築及び彫刻芸術は種類が豊富であり、台湾の建築装飾の傑作が揃っている。中国の南方の古い伝統を受け継ぎながら、近代の外国からの影響も受けており、豊かな様相を見せている。龍山寺参観につき、とくに注意すべき点を以下に挙げよう。

⑴石彫の技巧は変化に富み、手法は精緻で、彫刻芸術

の宝庫と言える。

⑵前殿の銅鑼を吊る龍柱は、有名な職人の手になるものである。

⑶前殿及び正殿の藻井は、奇抜で巧みな構造で、観音の華蓋を思わせる意匠である。

⑷鐘鼓楼の屋根は轎の屋根の手法を用い、軽やかな造形を見せている。

⑸前殿正面及び正殿の回廊の石の壁に掛けられた書は、種類が豊富で妍を競っている。

⑹後殿に祀られる神像は、それぞれ姿も表情も様々で、彫刻の美に富んでいる。

⑺正殿の観世音の木彫像は、ゆったりと潤いのある造形で、表情は穏やかで美しく、慈悲を体現している。

旧暦正月十五日の元宵節には、龍山寺では慣例として意匠を凝らした灯籠が飾られ、多くの参拝客でにぎわう。もちろん、一番にぎわうのは旧暦二月十九日の観世御菩薩生誕日である。昔は、長寿を意味する麺や果物、それに精進の餅菓子の類いを供えて祝い、櫓を組んで芝居も上演されたという。